Les mini-fées

RETROUVEZ

DANS LA BIBLIOTHÈQUEROSE

SAISON I	SAISON II

1. Les pouvoirs de Bloom

2. Bienvenue à Magix

7. Les mini-fées

3. L'université des fées

4. La voix de la nature

5. La Tour Nuage

6. Le Rallye de la Rose

© Hachette Livre, 2006, pour la présente édition.
Novélisation : Sophie Marvaud
Conception graphique du roman : François Hacker

Hachette Livre, 43, quai de Grenelle, 75015 Paris.

Associées au Phoenix, trois sœurs
sorcières forment un groupe uni et
redoutable : les Trix. Obsédées par
leur recherche insatiable de pouvoirs
magiques, elles sont prêtes à tout
pour anéantir les Winx !

Icy, qui est à la fois l'aînée des
Trix et leur chef, a pour armes
préférées les cristaux de
glace, le blizzard, les icebergs.

Stormy sait déclencher
tornades et tempêtes.

Darcy utilise des sortilèges
mentaux : elle crée des illusions
de toutes sortes qui peuvent
rendre fou.

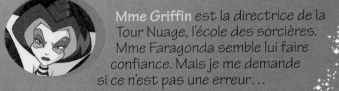

Mme Griffin est la directrice de la
Tour Nuage, l'école des sorcières.
Mme Faragonda semble lui faire
confiance. Mais je me demande
si ce n'est pas une erreur…

Résumé de la saison 1

Jusqu'à mes seize ans, j'étais persuadée, moi, Bloom, d'être une jeune Terrienne comme les autres. Depuis, que de découvertes ! Non seulement je suis une fée, admise à l'université d'Alféa, mais je possède le formidable pouvoir de la flamme du dragon !

Celui-ci est convoité par les Trix, qui prennent la tête des forces des ténèbres. Elles veulent conquérir l'ensemble du royaume de Magix.

Nous menons la résistance, nous les Winx : Stella, Flora, Tecna, Musa et moi. Nous sommes aidées par nos amis les Spécialistes, un groupe de garçons dont fait partie mon amoureux, le prince Sky.

À l'issue d'une lutte pleine de rebondissements, nos ennemis ont été vaincus et la paix est revenue sur Magix. Comme j'ai hâte de reprendre mon apprentissage de fée…

Chapitre 1

Encore un secret à Alféa

Quelle belle journée à Alféa ! Tout le monde prépare la fête qui va célébrer la réouverture de l'université, après notre victoire sur les forces des ténèbres. Musa répète ses airs favoris sur son saxophone ; Flora chouchoute les mille plantes qui décorent l'école ; Tecna vérifie les détails techniques ; et bien sûr, Stella se cherche une nouvelle robe !

Puisque personne n'a besoin de mon aide, je me promène en compagnie de mon lapin Kikou. Soudain, au détour d'un couloir, un petit animal surgit en volant devant nous ! Un hippocampe ailé !

— Oh ! Quelle créature vraiment adorable !

Je veux l'attraper délicatement, mais il m'échappe des mains. Quel farceur ! J'éclate de rire.

— D'où viens-tu ? Qui es-tu ?

L'hippocampe s'enfuit à tire-d'aile.

— N'aie pas peur ! Je ne te ferai aucun mal !

Je me lance à sa poursuite et j'arrive dans un corridor décoré avec élégance de bustes et de tableaux.

J'ai l'impression que nous sommes dans la tour du sud-ouest. C'est la première fois que je viens jusqu'ici...

— Sors de ta cachette, petit trésor !

À mon insu, un peu de pouvoir magique s'échappe de ma main : la paroi la plus proche s'ouvre ! Je me retrouve à l'intérieur d'une pièce inconnue et très impression-nante : une immense coupole, remplie de livres.

— C'est trop vous demander de frapper avant d'entrer ?

Qui a parlé ? J'aperçois alors une toute petite créature magique qui

vole à la hauteur de mes yeux. Vêtue d'une robe de magicienne, elle porte des nattes enroulées sur ses oreilles. Bien qu'elle prenne un air sévère, elle ne semble pas vraiment féroce !

— Cet endroit est incroyable, dis-je.

La magicienne miniature me regarde avec réprobation.

— Personne n'est censé connaître son existence.

L'hippocampe se met à son côté, ainsi qu'un charmant petit écureuil magique. Qu'ils sont mignons !

— Je suis la mini-fée Concorda, explique-t-elle, tout à coup radoucie. Mon devoir consiste à veiller sur les archives de magie. À votre tour de vous présenter.

— Je m'appelle Bloom. Je suis

arrivée chez vous par hasard. Mais qu'est-ce que c'est, une mini-fée ?

— Nous sommes des créatures magiques. Notre mission est d'aider les fées à accomplir leur devoir.

— Vraiment ! Jusqu'à ce jour, je n'avais jamais soupçonné votre existence !

Satisfaite de mon attention, Concorda s'assoit dans un fauteuil. Son adorable petit salon est posé sur un tapis qui flotte dans les airs.

— Les fées et les mini-fées travaillent ensemble. Lorsqu'elles deviennent inséparables, nous appelons cela une connexion parfaite.

Oh ! J'adorerais être accompagnée partout d'une mini-fée ! Est-ce qu'un jour, mes amies et moi, nous rencontrerons les mini-fées avec qui nous formerons des connexions parfaites ?

— Et vous, madame Concorda, dis-je, êtes-vous en connexion avec notre directrice, Mme Faragonda ?

— Non, je suis attachée entièrement aux archives.

— Ah bon ? Vous devez drôlement vous ennuyer...

— Pas du tout ! J'ai mes animaux magiques pour me tenir compagnie. Ils sont dotés de grands pouvoirs, eux aussi.

Un coup d'œil sur l'horloge
m'indique que je dois repartir. Je
ne veux pas arriver en retard à la
fête. Mais comme cette nouvelle
découverte est passionnante !

Chapitre 2

Ce que Bloom ne sait pas

Quelque part dans la dimension magique, au milieu des chutes d'eau et des lambeaux de brume, se dresse une terrifiante forteresse. De loin, elle ressemble à une montagne incroyablement pointue et escarpée. De près, on dirait qu'elle a été construite avec des squelettes de monstres et de la boue durcie. Le résultat donne la chair de poule...

Pourtant, une inconnue est en train d'escalader la paroi de la forteresse. Elle est habile à trouver des prises pour ses pieds et ses mains. Mais l'ascension est très longue. Et la jeune fille est épuisée par la succession de périls qu'elle a déjà dû affronter. Baignée de sueur, elle grimpe lentement, avec l'énergie du désespoir.

Quel soulagement lorsque enfin, elle se hisse sur une plate-forme ! Celle-ci donne sur un couloir sombre. Au bout, brille une lueur très particulière, celle qui signale la présence de créatures féeriques. L'aventurière s'avance.

— Silence ! dit une toute petite voix effarouchée. J'entends quelqu'un.

Des exclamations terrifiées lui répondent.

Lorsque la jeune fille apparaît en pleine clarté, avec sa peau brune et son abondante chevelure auburn, les minuscules fées sautillent de joie et de soulagement.

— C'est toi, Layla !

— Quelle bonne surprise !

— Nous avons cru que tu avais été capturée, toi aussi.

Layla tremble de fatigue. Mais quel bonheur de retrouver ses amies !

— J'ai eu de la chance. J'ai réussi à m'échapper.

Elle s'agenouille devant une

mini-fée qui dort tranquillement en suçant son pouce.

— Est-ce que Piff va bien ?

— Oui, rassure-toi, répond une mini-fée à la chevelure parsemée de fleurs.

— J'imagine que tu as dû beau-

coup t'inquiéter pour elle... dit une autre, dotée de grandes couettes blondes.

— ... Puisqu'elle est ta connexion parfaite ! conclut une mini-fée en tenue futuriste.

Piff ouvre un œil et baragouine quelque chose dans un langage de bébé. La mini-fée futuriste tapote sur un boîtier et traduit.

— Elle dit qu'elle est très contente de te revoir.

— Merci Digit, répond Layla. Maintenant, il faut nous échapper d'ici.

La mini-fée en robe de princesse s'exclame :

— Mais nous ne pouvons pas voler ! Nos ailes sont couvertes d'un goudron dégoûtant.

Malgré son épuisement, Layla n'hésite pas :

— Ne t'inquiète pas. Je vous porterai.

Bien qu'elles trouvent cette manière de voyager peu convenable pour des mini-fées, les sept petites créatures sautent dans les bras de la jeune fille.

Ainsi chargée, il est impossible que Layla sorte de la forteresse en escaladant ses parois. À la recherche d'un escalier, elle court dans les immenses corridors.

Hélas ! Rien ne peut échapper au maître des lieux, l'horrible Phoenix ! Depuis une autre salle, il suit la progression de la jeune fille.

Dissimulé par un heaume, on ne peut voir l'expression de son visage. Mais les monstres des ténèbres l'entendent ricaner.

— Cette idiote a l'audace de tenter de m'échapper !

Il lance un sortilège, en agitant ses gigantesques bras squelettiques, qui sont prolongés par des doigts tranchants comme des couteaux.

Au moment où Layla croit avoir trouvé l'escalier, quelques-uns des monstres des ténèbres lui barrent la route. Les mini-fées poussent des cris d'effroi, sauf celle à la chevelure fleurie, qui l'encourage avec confiance.

— Allez, Layla !

Les monstres ouvrent leurs immondes bouches aux dents pointues. Ils lancent sur Layla leur bave malfaisante. Mais habilement, la jeune fille l'esquive. Elle parvient à leur échapper !

Furieux, le Phœnix décide d'intervenir en personne ! Il se dresse devant Layla, ouvrant ses immenses ailes noires aussi déchirées que des guenilles.

— Alors, petite sotte ! Tu n'as pas le courage de m'affronter ? Donne-moi les mini-fées.

— Jamais ! lui répond Layla avec courage.

— Ma patience a des limites !
hurle-t-il.

Aussitôt, il se métamorphose en
un immense oiseau de feu. La lutte
semble bien inégale entre le
maître des ténèbres aux super pouvoirs et la jeune fille dont les bras
sont encombrés par les mini-fées...

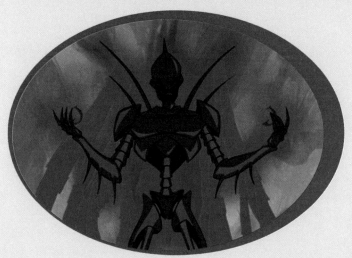

Chapitre 3

Une mystérieuse inconnue

La fête se termine... À l'entrée de l'école, nous les Winx disons tendrement au revoir à nos amis les Spécialistes, qui repartent dans leur école, la Fontaine Rouge.

Les motos volantes des garçons n'ont pas plus tôt tourné vers la forêt qu'une étrange jeune fille apparaît. Elle tremble comme une feuille morte en marchant vers nous. Ses vêtements sont déchirés et des larmes coulent de ses yeux.

Je fais un pas vers elle. Elle me fait penser à un pauvre animal blessé, qui a peur de se laisser soigner.

— Doucement, dis-je. Calme-toi...

Mais à cet instant, elle s'évanouit ! Mes amies se précipitent. Flora s'agenouille auprès d'elle. Afin de savoir si l'inconnue est malade, Tecna sort sa coccinelle magique. Celle-ci parcourt de son laser féerique le corps étendu.

Tecna vérifie sur son appareil les informations que la coccinelle lui transmet.

— Alors, le résultat ? demande Stella, impatiente.

— Elle va bien, conclut Tecna. Elle est seulement épuisée.

Soutenant la jeune fille, nous l'aidons à se relever. C'est alors qu'une petite créature toute ronde tombe de son abondante chevelure brune. Elle roule sur elle-même et s'endort aussitôt sur le sol. Elle ressemble à un minuscule bébé, avec sa robe bouffante en tulle rose et son bonnet assorti.

— Qu'est-ce que c'est ? s'écrie Stella.

Je suis stupéfaite.

— On dirait une mini-fée !

— Une quoi ?

Mes amis me pressent de questions. Évidemment, elles n'ont jamais entendu parler de ces

petites créatures ! Je leur raconte ma rencontre de l'après-midi avec Concorda.

Mais qui est cette mini-fée ? Et qui est l'inconnue qui l'accompagne ? Notre seule certitude, c'est qu'elles ont un besoin urgent de reprendre des forces ! Vite, portons-les à l'intérieur d'Alféa !

Depuis trois jours, la jeune fille et la mini-fée dorment dans l'infirmerie de l'école. La mystérieuse étrangère s'agite beaucoup dans son sommeil. Des perles de sueur naissent sur son front. On dirait qu'elle fait de terribles cauchemars. Au contraire, la mini-fée dort paisiblement en suçant son pouce.

Assise au chevet de la nouvelle venue, je me sens particulièrement inquiète. Flora, qui essuie son front avec un linge frais, se tourne vers moi.

— Rassure-toi, Bloom. Elle finira par se réveiller.

Heureusement que Stella est là pour nous distraire ! Elle se lève, décidée à faire le pitre.

— Puisqu'on doit passer la nuit au chevet de la Belle au bois dormant, parlons de choses intéressantes. Pensez-vous que la Belle a un petit ami ?

Espiègle, Musa lui répond :

— Et si nous parlions plutôt de la petite amie de Brandon ?

— Et qui est la petite amie de Brandon ?

Stella prend un air innocent qui nous fait éclater de rire.

Un peu plus tard, Tecna regarde sa montre.

— Le soleil devrait se lever dans exactement douze minutes.

— Nous n'avons pas fermé l'œil de la nuit, dit Flora. Comment allons-nous faire demain ?

— Aujourd'hui, la reprend Tecna.

— On peut très bien rater les cours, assure Stella. De toute

façon, on ne fait jamais rien les premiers jours.

Moqueuse, Musa hausse les épaules :

— Oui, histoire de bien commencer l'année !

Mes amies décident donc d'aller

se coucher, même pour un temps très bref. Flora pose sa main sur mon épaule :

— Elle s'en sortira, Bloom. Va te reposer.

Je secoue la tête. Je suis décidée à veiller aussi longtemps que possible la mystérieuse endormie. J'ai de sombres pressentiments. Nous avons vaincu les forces des ténèbres. Et nos ennemies les Trix sont hors d'état de nuire. Mais cette jeune fille semble avoir vécu de terribles épreuves. Sa venue est-elle le signe que de nouveaux périls nous attendent ?

Chapitre 4

Bloom
mauvaise élève

Bien sûr, quelques heures plus tard, lors du premier cours de l'année avec Wizgyz, je tombe de sommeil !

Le petit professeur aux oreilles de lutin semble pourtant passionné par ce qu'il raconte.

— C'est la question que nous nous sommes tous posée un jour. La vie serait-elle plus belle si l'univers était mieux ordonné ?

Quelle question ! Beaucoup trop compliquée pour une jeune fée aussi fatiguée que moi... Mes yeux se ferment... Ma tête sombre dans le creux de mon bras, sur la table. Les paroles du professeur me parviennent à travers un épais brouillard.

— Lorsqu'une énergie se crée, une force opposée tout aussi puissante apparaît... Et maintenant, regardez.

Faisant appel à toute ma volonté,

je réussis à ouvrir un œil. Hélas, il se referme aussitôt.

J'entends vaguement une élève s'exclamer :

— Mais professeur ! Il n'y a rien du tout !

Un cri perçant, poussé par le

professeur Wizgyz, me tire brutale-
ment d'un sommeil profond.

— Bloom !

Je sursaute et me redresse,
ahurie.

— Euh... Oui, monsieur ?

— Je comprends que mon cours
vous paraisse ennuyeux. Mais vous
aurez besoin de ces connaissances,
cette année.

Bien réveillée, je rougis de
honte.

— Oui. Excusez-moi.

— Pouvez-vous me dire ce
qu'évoque pour vous cette figure ?

Au tableau, il désigne un étrange symbole blanc et noir que je n'ai jamais vu de ma vie. Je réfléchis intensément.

— Euh... ça me rappelle... Oui, je sais ! Les boucles d'oreilles de Stella.

Toute la classe éclate de rire. Ce n'était sûrement pas la bonne réponse !

Un peu plus tard, de retour à l'infirmerie, je demande à mes amies de me répéter les explications du professeur. Toujours très attentive en classe, Flora s'exécute sans peine.

— Wyzgyz a capturé une lumière

dans sa main. Mais personne ne la voyait. Alors il a fait l'obscurité dans la pièce. Là, nous avons vu briller l'intérieur de sa main. Cela montre qu'il ne peut y avoir de la lumière que s'il y a aussi de l'obscurité. De la même façon, d'après Wyzgyz, le bien ne peut exister que si le mal existe. Et souvent ces forces s'équilibrent. C'est ce que veut dire le vieux symbole terrestre du ying et du yang qui était dessiné au tableau.

Cette idée m'intéresse mais je décide d'y réfléchir plus tard, quand j'aurai le temps. Pour l'instant, c'est impossible. Car, lorsque

Flora a rafraîchi le front de la jeune fille avec un linge, celle-ci a ouvert les yeux !

Chacune des Winx se précipite autour du lit. Lentement, Layla se redresse. Elle ouvre ses paumes et les regarde avec attention.

— Quatre jours ! s'écrie-t-elle. Où est Piff ?

— Elle dort juste ici, sur cet oreiller, la rassure Flora. Toutes les deux, vous êtes en sécurité.

En apercevant la mini-fée paisiblement endormie, le visage de la jeune fille se détend un peu. À notre grande surprise, elle retombe aussitôt sur le lit et se rendort, d'un sommeil plus tranquille. Quelle frustration !

Chapitre 5

Ce que Bloom ne sait pas

Pendant ce temps, des moines-soldats montent la garde à l'entrée d'un immense palais baigné de soleil : le monastère de Rocalus. Dans le jardin et les prés qui bordent le palais, d'autres moines se promènent, lisent, soignent les fleurs. Partout, des haut-parleurs diffusent la même musique apaisante.

En contemplant le jardin depuis les murailles, deux jeunes moines discutent :

— C'est incroyable ! Nous sommes entourés de gens qui étaient autrefois d'horribles criminels.

— Tout le monde a droit à une deuxième chance. Tu ne vois pas que la méditation les transforme ?

— Certains, oui. Mais je me demande si c'est valable pour tous...

Ensemble, les deux moines tour-

nent leurs regards vers de nouvelles pensionnaires du monastère,
trois jeunes sorcières envoyées par
Mme Faragonda, la directrice d'Alféa. La méditation va-t-elle les rendre meilleures ?

Beaucoup moins élégantes que

d'habitude dans leurs panta-robes en tissu épais, elles marchent vers l'horizon. Elles ont beau aller toujours tout droit, leur chemin les ramène invariablement au monastère.

L'une d'elles, qui a de longs cheveux verdâtres, s'écrie avec colère :

— Jamais on ne pourra sortir d'ici !

— Si seulement notre magie fonctionnait, nous serions déjà loin ! dit l'autre, reconnaissable à ses yeux couleur iceberg.

— Je suis épuisée ! gronde la troisième.

Elle trépigne rageusement et ses

épais cheveux frisottés tressautent dans tous les sens.

Le programme musical des haut-parleurs se termine. Le bulletin météo est présenté par frère Cumulus.

— Demain, dit une voix suave,

le temps sera aussi clément qu'aujourd'hui. Le ciel sera clair. Les températures ne descendront pas en dessous de 28 degrés. Aucun changement n'est prévu pour les jours à venir.

La sorcière aux cheveux frisottés se jette rageusement sur l'arbre.

— Je vais démolir ce maudit haut-parleur !

Dans l'appareil, une voix paisible lui répond :

— Stormy, le mot « démolir » doit disparaître de votre vocabulaire.

Avec ses ongles, la sorcière s'acharne sur lui. Elle tente de l'arracher à l'arbre.

— Je vais l'exploser ! Vous préférez ça ?

— Allons, Stormy, détendez-vous, continue la voix, tandis que la sorcière réussit à décrocher le haut-parleur. Respirez à fond... Je ne voulais pas vous contrarier. Au contraire. Il est vital pour vous de cesser vos actions maléfiques...

D'un coup de pied plein de violence, Stormy l'envoie loin dans les prés fleuris. Curieusement, la voix leur parvient toujours.

— Nous vous encourageons à être positive.

Cherchant d'autres appareils cachés dans les buissons, Darcy s'énerve :

— Vous nous enseignez à haïr la violence. Mais nous, la violence, c'est tout ce que nous aimons !

Des haut-parleurs, il y en a partout autour d'elles, sur chaque arbre et dans chaque touffe d'herbe ! Icy n'y tient plus. Elle hurle :

— Je déteste les sermons !

Déchaînées, les Trix donnent libre cours à leurs mauvais sentiments. Elles crient sur les promeneurs qui passent, elles se roulent par terre, elles frappent le sol et les arbres, elles hurlent de rage. Et,

pour finir, elles concentrent leur
haine sur leurs pires ennemies, les
Winx. Elles imaginent comment
elles vont se venger d'elles : les
enfermer dans des blocs de glace,
les foudroyer, les noyer...

— Écoutez votre cœur, continue

tranquillement la voix. Il vous guidera sur le chemin de la réconciliation avec les autres et avec vous-même...

— Quand je sortirai d'ici, crie Icy en réponse, je jure que je serai plus cruelle que jamais !

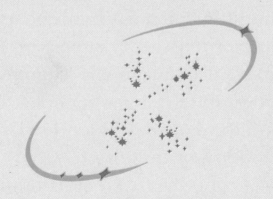

Chapitre 6

Mini-fées en péril

Le lendemain, alors que nous la veillons, la mystérieuse jeune fille ouvre à nouveau les yeux. Elle s'assoit sur son lit. Cette fois, elle semble parfaitement éveillée.

— Où suis-je ?

— À Alféa, l'université des fées.

— Où est Piff ?

Flora lui montre la mini-fée qui suce son pouce sur son oreiller.

— Ne t'inquiète pas. Elle va bien.

La jeune fille se penche avec tendresse vers la petite créature, qui ouvre les yeux et lui sourit.

— Quel bonheur que tu ailles bien ! J'étais tellement inquiète pour toi, trésor.

J'émets mon hypothèse.

— Tu es une fée, n'est-ce pas ? Puisque tu sais évaluer le temps qui passe à partir des rides minuscules de ta main. Et Piff, la mini-fée qui t'accompagne, est en connexion parfaite avec toi. Vous êtes comme des sœurs jumelles. C'est pour ça que tu penses autant à elle !

La jeune fille ne me contredit pas. Stella lui tend un énorme sandwich.

— Avant toute chose, chère amie, on fait le plein d'énergie.

Oh là là ! Avec ses grands gestes, Stella envoie une rondelle de tomate sur l'oreiller de la mini-fée ! Mais le reste du sandwich semble très apprécié par la jeune fille, qui reprend des forces. Nous en profitons pour nous présenter :

— Voici Stella, Flora, Musa, Tecna, et moi, Bloom.

— Je m'appelle Layla, répond-elle.

Avec tristesse, elle ajoute :

— J'aurais tant voulu sauver les autres mini-fées !

Surprises et très excitées par cette nouvelle, mes amies parlent toutes en même temps :

— Quoi ? Il y a d'autres mini-fées !

— Combien sont-elles ?

— Où sont-elles ?

— Dis-nous tout ce que tu sais !

Flora intervient :

— Doucement, les filles. Layla

est encore fatiguée, ne la brusquez pas.

— Merci Flora, dit Layla. Je vais vous raconter mon histoire. Mais je vous préviens : il serait dangereux pour vous de vous en mêler.

— Le danger ne nous a jamais fait peur ! dis-je.

C'est vrai que le courage est l'une de nos caractéristiques, à nous les Winx. Lors de ma première rencontre avec l'horrible ogre Knut, sur Terre, je ne savais pas encore que j'étais une fée. Et pourtant, j'ai volé au secours de Stella ! Depuis, les Winx n'ont cessé de prouver leur courage en affrontant les sorcières et les forces des ténèbres.

Layla boit un potage rempli de vitamines, que lui a préparé Flora. Puis elle se lance dans un long récit.

Chapitre 7

Ce que Bloom ne sait pas

Au même moment, une sorte de répugnant petit animal volant pénètre dans la forteresse souterraine. Il fonce en piaillant à travers les corridors jusqu'à la salle du trône. Enroulant ses pattes d'araignée, il s'accroche au bras du

Phoenix, la tête en bas, comme une chauve-souris. Quelle étrange bestiole !

— Kerborg, as-tu le renseignement que je t'avais demandé ?

L'araignée-chauve-souris pousse de petits cris perçants que seul le Phoenix peut traduire. Les informations apportées sont très intéressantes...

— Le Codex est en quatre parties ! Tu en es sûr ? s'exclame le Phoenix avec surprise.

Ce mystérieux Codex, il veut absolument le posséder ! D'après la bestiole volante, la tâche ne sera pas facile. Les mini-fées n'en possèderaient qu'une partie !

— Une autre serait à l'université des fées d'Alféa ! Mais oui, bien sûr...

Un peu plus tard, un immense oiseau de feu franchit le mur de nuages qui protège le monastère. Les moines-soldats reculent, effrayés.

Dans le jardin, en contrebas, les Trix perçoivent avec étonnement le changement d'atmosphère. De gros nuages noirs s'accumulent dans le ciel et les éclairs se déchaînent, au grand plaisir de Stormy.

Darcy était en train de se demander comment être un peu positive. Elle a compris que c'était le seul moyen d'espérer un jour sortir d'ici. Quelle surprise ! Sans effort, elle trouve très positif l'arrivée d'un monstre effrayant, mi-squelette mi-armure, avec des ailes de feu !

En souriant d'un air mauvais, Icy s'avance vers le Phoenix :

— Votre arrivée me plaît.

— Qui êtes-vous ? demande Darcy.

— Ne me posez pas de question ! répond le maître des ténèbres. Approchez, je vous emmène.

Trop contentes de quitter ce lieu qu'elles détestent, les Trix se réfugient sous ses ailes de feu.

À la sortie du monastère, quelques moines tentent de les arrêter. Le Phoenix rend aux sorcières leur tenue habituelle.

— Cette panta-robe était insupportable, s'écrie Icy. Je n'en pouvais plus !

L'aînée des Trix lance sur les moines une montagne de glace et sa sœur Stormy des éclairs. Mais il ne se passe rien ! Les moines continuent de s'approcher.

— Ils sont insensibles à la magie ! s'écrie Darcy.

— C'est votre magie qui est inefficace contre l'enseignement qu'ils ont reçu, ricane le Phoenix.

D'un geste, il envoie sur chacune
des Trix une boule de feu
magique.

— Voilà des gloomix ! Ils vont
multiplier vos pouvoirs.

Icy, Stormy et Darcy se sentent
alors envahies par un sentiment de

puissance sans limite ! Darcy lance un sort sur les moines, qui les rend aveugles. La tornade d'une grande violence que déclenche Stormy arrête leur progression. Puis Icy réussit à les figer dans des cristaux de glace.

Éblouies par leurs forces décuplées, les Trix poussent des cris de joie.

— Grâce aux gloomix, dit Icy, le pouvoir du dragon sera bientôt à nous !

Le Phoenix se moque d'elles :

— Pauvres idiotes ! Il existe un autre pouvoir, bien plus grand que celui du dragon ! Il m'appartien-

dra tout comme vous m'appar-
tenez.

Les yeux d'Icy brillent de plaisir.
Qu'importe la perte de sa liberté,
du moment qu'elle est l'alliée de
la créature la plus puissante de
Magix !

Chapitre 8

Une nouvelle mission

Depuis toujours, raconte Layla aux Winx, sa famille est très liée aux mini-fées qui vivent au fond de la forêt. Chaque année, ses parents et elle sont invités à la fête de leur village.

Cette fois-là, l'atmosphère de la

fête était glaciale. Les mini-fées se sentaient menacées par des ennemis mystérieux.

Au cours d'une cérémonie dans la forêt, elles ont été encerclées par d'horribles créatures !

Elles ont tenté de se défendre mais leurs pouvoirs magiques étaient sans efficacité contre les monstres. Seules Lockette et Blinky ont réussi à s'échapper avec Layla. Les autres ont été enlevées.

Malgré leur peur, Layla, Lockette et Blinky ont tenté de délivrer leurs amies. En suivant les traces de goudron laissées par les monstres, elles sont arrivées au pied d'une immense forteresse souterraine. Là, vit le maître de toutes les créatures des ténèbres : le monstrueux Phoenix.

Celui-ci a aussitôt repéré l'arrivée des nouvelles venues. Ses pouvoirs étant beaucoup plus puissants

que les leurs, il les a vidées de leur énergie féerique.

Layla a réussi l'exploit de s'enfuir de la prison où le Phoenix l'avait enfermée. Elle a retrouvé les mini-fées regroupées dans la forteresse. Mais au moment où elle espérait les délivrer, il a réussi à l'arrêter.

Seules les mini-fées semblaient intéresser le Phoenix. Après les avoir récupérées, il s'est débarrassé de Layla en la jetant dans un abîme.

Heureusement, il a sous-estimé les pouvoirs magiques de Layla. Celle-ci a survécu à la chute, de même que Piff, dissimulée dans sa chevelure.

Malgré son épuisement, la jeune fille a réussi à quitter le monde des ténèbres et à rejoindre Alféa.

Son récit achevé, Layla pleure à chaudes larmes.

— J'étais à deux doigts de sauver les mini-fées ! Mais je n'ai pas réussi. Je leur avais pourtant promis...

Musa la prend dans ses bras.

— Calme-toi...

Mes amies et moi échangeons des regards déterminés.

— Layla, nous allons t'aider, dis-je en parlant en leurs noms à toutes.

Son récit nous a effrayées, bien sûr. Nous avons compris que de terribles combats se préparaient contre ce mystérieux maître des ténèbres, le Phoenix. Mais en se réfugiant à Alféa, Layla a eu beaucoup de chance !

Avec douceur, je lui demande :

— Est-ce que tu peux nous faire confiance ?

Elle hoche la tête.

— Vous êtes si gentilles...

Rassemblées autour de Layla, nous commençons à réfléchir.

Comment sauver les mini-fées ? Devrons-nous affronter le Phoenix ? Dans des moments aussi dramatiques que celui-ci, il est réconfortant de nous sentir unies et solidaires, nous les Winx !

Table

Si tu as envie d'écrire toi aussi, tu trouveras des conseils et
des jeux d'écriture sur le site de Sophie Marvaud,
qui a adapté le dessin animé *Winx Club*
pour la Bibliothèque Rose.
Voici son adresse sur internet :
http://sophie.marvaud.chez.tiscali.fr

Dans la même collection…

Cinq collégiennes
douées de pouvoirs
surnaturels.

Mini, une petite fille
pleine de vie !

Fantômette,
l'intrépide
justicière.

Totally Spies,
trois super espionnes
sans peur et sans reproche.

Pour Futékati,
résoudre les énigmes
n'est pas un souci.

Claude, ses cousins et
son chien Dago
mènent l'enquête.

Cédric, les aventures
d'un petit garçon bien
sympathique.

Esprit Fantômes, les
enquêtes d'une famille
un peu farfelue.

Imprimé en France par Qualibris *(J-L)*
dépôt légal n° 82426 - janvier 2007
20.20.1154.04/2 – ISBN 978.2.0120.1154.0
Loi n° 49-956 du 16 juillet 1949
sur les publications liées à la jeunesse